30 recettes au NUTELLA®

Sommaire

Nutella® à partager

Étonnant nutella®

Voici le club sandwich revisité, version sucrée. N'hésitez pas à changer les fruits en fonction des saisons.

Club-sandwichs au NUTELLA® et aux fruits

POUR 8 CLUB-SANDWICHS • préparation : 20 MIN

12 tranches de pain de mie • 8 fraises • 1 nectarine • 1 kiwi • 1 banane • 160 g de NUTELLA®

---

1. Faites griller les tranches de pain de mie à l'aide d'un grille-pain.

2. Lavez les fraises et la nectarine. Équeutez les fraises et coupez-les en lamelles. Détaillez la nectarine en quartiers très fins. Pelez le kiwi et la banane, puis coupez-les en fines rondelles.

3. Étalez une couche de NUTELLA® sur quatre tranches de pain de mie grillées. Disposez-y la moitié des fruits émincés en les faisant se chevaucher.

4. Recouvrez le tout d'une autre tranche de pain de mie grillé. Tartinez celle-ci de NUTELLA® et, à nouveau, disposez les fruits émincés. Terminez en couvrant le tout d'une autre tranche de pain de mie grillé. Coupez chaque sandwich en deux, de façon à obtenir deux triangles. Maintenez chaque sandwich à l'aide d'une pique et dégustez sans tarder.

Un goûter dont les enfants raffolent... Ils ne feront qu'une bouchée de ces palmiers au NUTELLA®.

Petits palmiers à la noix de coco et au NUTELLA®

POUR 30 PALMIERS • préparation : 5 MIN • cuisson : 15 MIN • réfrigération : 30 MIN

1 pâte feuilletée prête à l'emploi • 150 g de NUTELLA® • 15 g de noix de coco râpée

1. Préchauffez le four à 180 °C (therm. 6).
2. Déroulez la pâte feuilletée et recouvrez-la de NUTELLA®.
3. Roulez d'un côté la pâte jusqu'à son milieu, puis faites la même chose de l'autre côté de sorte que les deux boudins se rejoignent au centre.
4. Placez le rouleau de pâte pendant 30 minutes au congélateur afin de faciliter la découpe des palmiers.
5. Coupez le rouleau de pâte en tronçons de 0,5 cm d'épaisseur environ et déposez-les sur une plaque de four recouverte de papier sulfurisé.
6. Enfournez pour 15 minutes. À mi-cuisson, saupoudrez les palmiers de noix de coco râpée.

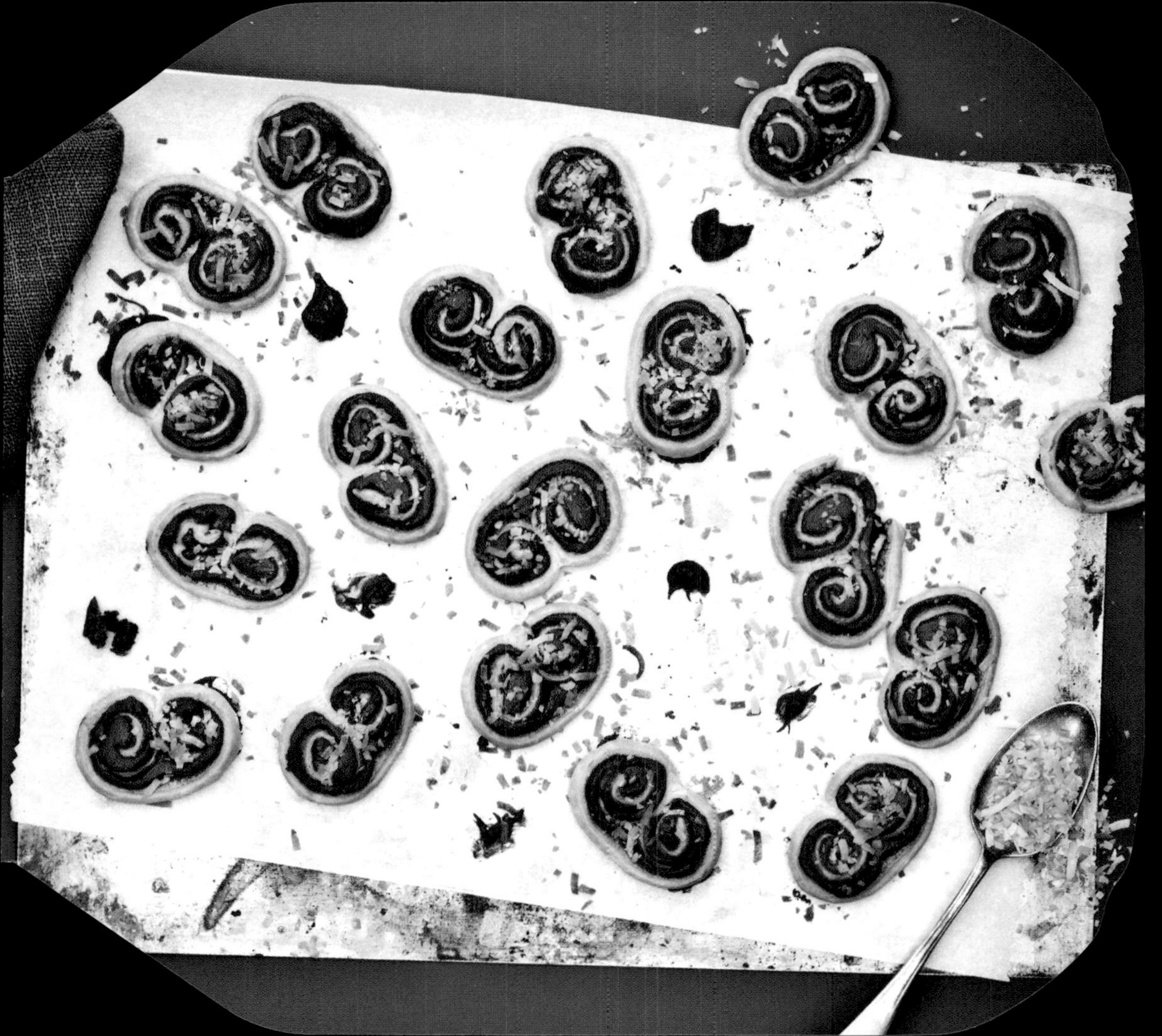

Le mariage du NUTELLA® et de l'orange fait de la dégustation de ces petits gâteaux un vrai moment de plaisir...

Whoopies au NUTELLA® et à l'orange

POUR 15 PETITS WHOOPIES • préparation : 30 MIN • cuisson : 10 À 15 MIN • réfrigération : 60 MIN

Pour la crème 1 orange • 75 g de beurre • 50 g de sucre • 1 œuf • 75 g de petits-suisses
Pour les biscuits 125 g de farine • 1/2 sachet de levure chimique • 40 g de beurre • 40 g de sucre en poudre • 1 œuf • 100 g de NUTELLA® • 20 g de cacao amer • 10 cl de lait • 1 pincée de sel

1. Préchauffez le four à 180 °C (therm. 6).

2. Préparez la crème. Râpez le zeste de l'orange et prélevez son jus. Faites fondre le beurre au bain-marie. Ajoutez le sucre, l'œuf, le zeste et le jus d'orange. Fouettez régulièrement jusqu'à ce que le mélange épaississe. Retirez du feu et laissez refroidir. Incorporez ensuite les petits-suisses, puis réservez au frais.

3. Préparez les biscuits. Mélangez la farine, la levure et le sel. Dans un saladier, travaillez le beurre avec le sucre. Ajoutez l'œuf, le NUTELLA®, le cacao et le lait. Mélangez bien. Ajoutez ensuite le mélange à base de farine et de levure.

4. Sur une plaque de four recouverte de papier sulfurisé, déposez des petits tas de pâte. Enfournez de 10 à 15 minutes. À la sortie du four, laissez-les refroidir sur une grille, puis fourrez-les de crème à l'orange pour former les whoopies.

Une jolie surprise se cache au cœur de ces petits gâteaux : du NUTELLA® fondant !

Financiers cœur NUTELLA®

POUR 18 FINANCIERS • préparation : 10 MIN • cuisson : 10 À 12 MIN

50 g de farine • 130 g de sucre glace • 70 g d'amandes en poudre • 4 blancs d'œufs • 70 g de beurre • 50 g de NUTELLA®

---

1. Préchauffez le four à 210 °C (therm. 7).
2. Dans une petite casserole, faites fondre le beurre à feu doux. Réservez.
3. Dans un saladier, mélangez la farine, le sucre glace et les amandes en poudre. Incorporez un par un les blancs d'œufs, puis ajoutez le beurre. Mélangez bien.
4. Beurrez les moules à financier, puis remplissez-les à moitié avec la pâte.
5. Ajoutez une petite cuillerée à café de NUTELLA® dans chaque empreinte et recouvrez de pâte. Enfournez de 10 à 12 minutes.

Les amateurs de coulants ne seront pas déçus par le plaisir intense de ce mariage parfait de la noix de coco et de la célèbre pâte à tartiner.

Coulants au coco cœur NUTELLA®

POUR 4 COULANTS • préparation : 20 MIN • cuisson : 15 MIN

140 g de noix de coco râpée • 80 g de sucre glace • 40 g de beurre ramolli • 1 jaune d'œuf • 100 g de crème de noix de coco • 3 blancs d'œufs • 1 pincée de sel • farine pour les moules • 4 cuill. à café de NUTELLA®

---

1. Préchauffez le four à 180 °C (therm. 6).

2. Dans un saladier, mélangez la noix de coco râpée, le sucre glace, le beurre, le jaune d'œuf et la crème de noix de coco.

3. Dans un bol, montez les blancs d'œufs en neige bien ferme avec le sel, puis incorporez-les délicatement à la préparation précédente.

4. Beurrez et farinez 4 ramequins. Répartissez la préparation dans chacun d'eux, puis déposez 1 cuillerée à café de NUTELLA® au centre de chaque moule et enfoncez-le dans la pâte.

5. Enfournez pour 15 minutes. Sortez les coulants du four, laissez-les reposer pendant 5 minutes, puis démoulez-les délicatement.

Conseil : Enfoncez bien le NUTELLA® dans la pâte au coco pour qu'il ne se dessèche pas et ne forme pas de croûte pendant la cuisson.

Tartelettes aux bananes et au NUTELLA®

POUR 6 TARTELETTES • préparation : 15 MIN • repos de la pâte : 1 H • cuisson : 20 MIN

3 bananes • 200 g de NUTELLA® (soit environ 1 cuill. à soupe bien remplie par tartelette) • 2 cuill. à soupe de noix de macadamia grillées et concassées

Pour la pâte brisée 180 g de beurre • 2 pincées de sel fin • 1 cuill. à soupe de sucre en poudre • 2 jaunes d'œufs • 5 cl de lait à température ambiante • 255 g de farine

1. Préparez la pâte. Coupez le beurre en petits morceaux. Travaillez-le à la spatule pour le rendre crémeux. Ajoutez le sel, le sucre, les jaunes d'œufs et le lait tout en remuant pour obtenir une consistance homogène. Incorporez peu à peu la farine et malaxez la pâte à la main. Formez une boule, enveloppez-la dans un film alimentaire et mettez-la 1 heure au réfrigérateur.
2. Préchauffez le four à 200 °C (therm. 6-7). Sur un plan de travail fariné, étalez la pâte sur 3 mm d'épaisseur. Beurrez des moules à tartelette de 10 cm de diamètre. Découpez dans la pâte 6 disques au diamètre légèrement supérieur à celui des moules. Foncez les moules avec les disques de pâte et piquez le fond à la fourchette en plusieurs endroits. Mettez au four pour 10 minutes.
3. Coupez les bananes en rondelles d'environ 5 mm d'épaisseur. Sortez les moules du four. Étalez sur chaque fond de tartelette environ 1 cuillerée à soupe de NUTELLA®. Disposez dessus les rondelles de banane et enfournez de nouveau pour 10 minutes. Parsemez les tartelettes d'éclats de noix de macadamia avant de les déguster, tièdes ou froides.

Une douceur facile et rapide à préparer pour combler les papilles gourmandes des petits comme des grands !

Soufflés au NUTELLA®

POUR 6 À 8 SOUFFLÉS • préparation : 20 MIN • cuisson : 30 MIN ENVIRON

200 g de NUTELLA® • 6 œufs • 40 g de fécule de maïs • 120 g de sucre en poudre • 1 sachet de sucre vanillé • 15 g de beurre • sucre glace pour saupoudrer

1. Faites fondre le NUTELLA® au bain-marie.
2. Cassez les œufs en séparant les blancs des jaunes. Dans un saladier, tamisez la fécule de maïs et mélangez-la avec 60 g de sucre en poudre.
3. Incorporez au NUTELLA® fondu les jaunes d'œufs deux par deux, puis le sucre vanillé et enfin le mélange de fécule maïs et de sucre.
4. Préchauffez le four à 220 °C (therm. 7-8). Battez les blancs d'œuf en neige très ferme. Ajoutez-y 50 g de sucre. Incorporez les blancs en neige à la préparation au NUTELLA® en soulevant la pâte sans trop la battre.
5. Beurrez des ramequins ou des moules à soufflé et saupoudrez-les avec les 10 g de sucre restant. Versez la préparation dans les moules et enfournez les soufflés de 25 à 30 minutes.
6. À la sortie du four, saupoudrez les soufflés de sucre glace et servez.

Régalez-vous au petit déjeuner ou au goûter
de ces petits croissants au NUTELLA® !

Mini-croissants au NUTELLA®

POUR 16 MINI-CROISSANTS • préparation : 10 MIN • cuisson : 20 MIN

1 pâte feuilletée préétalée • 150 g de NUTELLA® • 1 jaune d'œuf

---

1. Préchauffez le four à 180 °C (therm. 6).
2. Déroulez la pâte feuilletée sur le plan de travail. Recouvrez-la d'une couche épaisse de Nutella®.
3. Découpez-la ensuite en 16 parts égales. Roulez chaque part sur elle-même en commençant par la partie la plus large de façon à former un mini-croissant.
4. Badigeonnez-les de jaune d'œuf à l'aide d'un pinceau.
5. Enfournez pour 20 minutes.

Un dessert régressif ? Mais qu'il est bon de succomber à la tentation !

Mousse au NUTELLA®

POUR 8 MOUSSES • préparation : 15 MIN • réfrigération : 6 H AU MOINS

4 œufs + 2 blancs • 2 cuill. à soupe de sucre en poudre • 200 g de NUTELLA® • 50 g de beurre • 50 g de crème fraîche • noisettes grillées et concassées

1. Cassez les œufs en séparant les jaunes des blancs. Fouettez vivement les jaunes d'œufs avec le sucre jusqu'à ce que le mélange blanchisse et devienne mousseux.

2. Faites fondre le NUTELLA® avec le beurre dans un saladier en verre placé au bain-marie. Laissez tiédir. Mélangez la préparation au NUTELLA® aux jaunes battus, puis incorporez la crème fraîche.

3. Montez les blancs d'œufs en neige ferme. À l'aide d'une spatule, incorporez-les délicatement au mélange précédent.

4. Tapissez le fond de 8 ramequins individuels d'une fine couche de noisettes grillées.

5. Répartissez la mousse dans les ramequins et placez-les au réfrigérateur pour au moins 6 heures.

Conseil : Placez la mousse au congélateur pendant une demi-heure avant de servir, elle sera plus ferme.

Pour changer de la traditionnelle crème brûlée, osez la petite touche de NUTELLA®, c'est vraiment délicieux ! Préparez la crème la veille : elle doit reposer douze heures.

Crème brûlée au NUTELLA®

POUR 4 CRÈMES BRÛLÉES • préparation : 15 MIN • cuisson : 1 H • réfrigération : 12 H AU MOINS

6 jaunes d'œufs • 75 g de sucre en poudre • 1 gousse de vanille • 15 cl de lait entier • 25 cl de crème liquide • 160 g de NUTELLA® • 40 g de cassonade

1. Préchauffez le four à 100 °C (therm. 3-4). Battez les jaunes d'œufs avec le sucre jusqu'à ce qu'ils blanchissent.

2. Fendez la gousse de vanille en deux dans le sens de la longueur. Récupérez les graines à l'aide de la pointe d'un couteau et ajoutez-les aux jaunes d'œufs battus. Versez dessus progressivement le lait et la crème, qui doivent être à température ambiante, en mélangeant bien pour que la consistance soit lisse et homogène.

3. Disposez dans le fond de 4 petits plats à crème brûlée environ 40 g de NUTELLA®. Versez dessus la crème vanillée. Placez les plats à mi-hauteur dans le four et faites cuire pendant 1 heure.

4. Retirez les crèmes du four et laissez-les refroidir. Réservez-les ensuite au réfrigérateur pendant au moins 12 heures. Juste avant de servir, saupoudrez les crèmes de cassonade et faites caraméliser la surface à l'aide d'un chalumeau (ou passez les crèmes pendant 1 minute sous le gril du four).

miam

Les petits écoliers apprécieront à coup sûr ce milk-shake au délicieux goût de NUTELLA® !

Milk-shake à la banane et au NUTELLA®

POUR 2 VERRES • préparation : 10 MIN

2 bananes • 40 cl de lait bien froid • 120 g de NUTELLA® • 1 cuill. à soupe de sucre en poudre • 4 ou 5 glaçons

1. Pelez les bananes et coupez-les en rondelles.
2. Mixez-les avec le lait froid, le NUTELLA®, le sucre et les glaçons pendant 1 minute pour obtenir un mélange bien onctueux et mousseux.
3. Versez le milk-shake dans deux verres et dégustez aussitôt.

Variante : Vous pouvez remplacer les glaçons par deux boules de glace à la vanille.

LAIT PASTEURISÉ CONDITION
COOPÉRATIVE

Vous pouvez déposer sur ces crèmes un nuage de chantilly ou bien les parsemer de quelques pistaches non salées, concassées.

Petites crèmes au NUTELLA®

POUR 8 CRÈMES • préparation : 20 MIN • cuisson : 10 MIN • réfrigération : 4 H

3 jaunes d'œufs • 25 g de sucre en poudre • 25 cl de lait entier • 125 g de crème liquide • 180 g de NUTELLA®

1. Dans un saladier, fouettez les jaunes d'œufs avec le sucre jusqu'à ce qu'ils blanchissent et deviennent mousseux.

2. Dans une casserole, portez à ébullition le lait et la crème fraîche. Versez ce mélange chaud sur les jaunes tout en fouettant. Reversez l'ensemble dans la casserole et faites cuire à feu moyen en remuant sans cesse jusqu'à la limite du frémissement. Hors du feu, laissez tiédir pendant 10 minutes, puis ajoutez peu à peu le NUTELLA® en mélangeant pour obtenir une préparation homogène.

3. Versez la crème dans 8 ramequins individuels ou dans 8 pots à yaourt en verre et placez-les au réfrigérateur pour au moins 4 heures.

Pour changer du traditionnel riz au lait,
essayez donc cette recette gourmande !

Riz au lait au NUTELLA®

POUR 4 VERRINES • préparation : 5 MIN • cuisson : 45 MIN

1 l de lait • 20 g de sucre en poudre • 1 gousse de vanille • 100 g de riz rond • 120 g de NUTELLA®

---

1. Dans une casserole, portez à ébullition le lait et le sucre. À l'aide d'un couteau, fendez en deux dans le sens de la longueur la gousse de vanille et grattez l'intérieur pour récupérer les graines. Ajoutez-les au lait.

2. Versez le riz en pluie dans le lait bouillant et laissez cuire à feu doux pendant environ 45 minutes. Remuez de temps en temps pour éviter que le riz attache au fond de la casserole.

3. Arrêtez la cuisson dès que le riz est cuit. Ajoutez aussitôt le NUTELLA® et mélangez afin de bien l'incorporer. Laissez tiédir le riz qui va ainsi absorber l'excédent de liquide. Dégustez tiède ou bien froid dans des verrines.

Variez les surprises, ajoutez au NUTELLA® des bonbons au chocolat, de la crème de marron, ou encore de la crème de caramel au beurre salé.

Petites meringues cœur NUTELLA®

POUR 12 MERINGUES ENVIRON • préparation : 20 MIN • cuisson : 50 MIN À 1 H

4 blancs d'œufs • 200 g de sucre en poudre • 180 g de NUTELLA®

---

1. Préchauffez le four à 110 °C (therm. 3-4). Pour obtenir des meringues régulières, dessinez des ovales de 10 cm sur 7 cm sur une feuille de papier sulfurisé. Retournez la feuille et positionnez-la sur une plaque à pâtisserie.
2. Dans un saladier, montez les blancs d'œufs en neige. Lorsqu'ils commencent à être fermes, ajoutez petit à petit le sucre. Continuez de battre jusqu'à ce que le sucre soit bien dissous et que la meringue forme des pics lorsque vous soulevez le fouet. Si vous n'arrivez pas à obtenir ces pics, vous pouvez mettre votre saladier au bain-marie dans une casserole d'eau chaude et continuez de fouetter quelques minutes.
3. Garnissez de meringue une poche à douille munie d'une douille de 1 cm. Déposez un peu de meringue au centre de chaque ovale. Ajoutez dessus une petite cuillère à café de NUTELLA®. Recouvrez le tout de meringue.
4. Enfournez pour 20 minutes. Baissez ensuite la température à 70 °C (therm. 2-3) et poursuivez la cuisson pendant 30 à 40 minutes.
5. Sortez les meringues du four et laissez-les sécher toute une nuit avant de les déguster.

Pour cette recette, vous pouvez remplacer la gélatine par de l'agar-agar. Dans ce cas, utilisez 2 g d'agar-agar pour 40 cl de crème liquide.

Panna cotta au NUTELLA®

POUR 4 À 6 PANNA COTTA • préparation : 10 MIN • cuisson : 3 MIN • réfrigération : 3 HEURES AU MOINS

2 feuilles de gélatine • 40 cl de crème liquide • 160 g de NUTELLA®

1. Faites ramollir les feuilles de gélatine dans un bol d'eau froide.

2. Dans une casserole, portez la crème liquide à ébullition. Ajoutez le NUTELLA® et mélangez à l'aide d'une spatule jusqu'à obtenir une crème bien homogène.

3. Essorez la gélatine et, hors du feu, incorporez-la à la crème au NUTELLA®. Mélangez bien.

3. Répartissez la panna cotta dans des verrines. Laissez refroidir, puis placez-les au frais pendant au moins 3 heures.

Du caramel, du NUTELLA®, et voilà des sucettes qui donnent envie de retomber en enfance !

Sucettes au NUTELLA® cœur au caramel fondant

POUR 12 SUCETTES • préparation : 40 MIN • cuisson : 2 MIN • réfrigération : 5 H

70 g de NUTELLA® • 1 pot de caramel au beurre salé

1. Faites fondre le NUTELLA® au bain-marie. Réservez-en la moitié. Versez une fine couche de NUTELLA® dans le fond de petits moules en silicone. Placez-les au frais pour 30 minutes.

2. Déposez ensuite une noisette de caramel dans chaque moule. Recouvrez du NUTELLA® réservé. Plantez un bâtonnet dans chaque sucette et placez de nouveau les friandises au réfrigérateur pour environ 5 heures.

3. Démoulez les sucettes en retournant chaque petit moule. Dégustez-les rapidement.

Un gâteau roulé ? Oui, mais au NUTELLA® ! Il plaira à tous, mais surtout à ceux qui ont gardé leur âme d'enfant.

Gâteau roulé au NUTELLA®

POUR 4 MINI-BÛCHES • préparation : 15 MIN • cuisson : 10 À 15 MIN

4 œufs • 120 g de sucre en poudre • 40 g de farine • 1 pincée de sel • 200 g de NUTELLA®
Pour le glaçage 50 g de chocolat pâtissier

---

1. Préchauffez le four à 180 °C (therm. 6). Cassez les œufs en séparant les blancs des jaunes. Fouettez les jaunes avec le sucre jusqu'à ce qu'ils blanchissent et deviennent mousseux. Ajoutez la farine. Montez les blancs d'œufs en neige avec la pincée de sel. À l'aide d'une spatule, incorporez-les délicatement à la préparation précédente.
2. Versez la pâte sur une plaque à pâtisserie d'environ 40 x 30 cm, recouverte de papier sulfurisé. Enfournez pour 10 à 15 minutes.
3. Sortez le biscuit du four. Découpez-le aussitôt en 4 parts égales, mais sans séparer les morceaux ni retirer le papier sulfurisé. Roulez le biscuit et laissez-le refroidir quelques minutes.
4. Déroulez le biscuit, retirez le papier sulfurisé et tartinez les 4 parts de NUTELLA®. Roulez indépendamment les parts afin d'obtenir de petites bûches.
5. Coupez le chocolat en petits morceaux. Faites-le fondre au bain-marie. À l'aide d'un couteau ou d'une spatule, recouvrez les bûchettes de chocolat. Laissez durcir à température ambiante.

1
BON POINT
1
BON POINT

Ce joli gâteau ravira vos convives. Parsemez-le de copeaux de chocolat au lait, il sera encore plus gourmand.

Cheesecake au NUTELLA® et aux petits-beurre

POUR 8 PARTS • préparation : 15 MIN • cuisson : 60 MIN + 30 MIN • réfrigération : 30 MIN + 12 H

250 g de petits-beurre (ou gâteaux secs de votre choix) • 100 g de beurre • 50 g de chocolat noir • 150 g de NUTELLA® • 20 cl de crème liquide • 600 g de fromage frais (type Philadelphia® ou St Môret®) • 4 œufs

1. Préchauffez le four à 150 °C (therm. 5). Faites fondre le beurre.
2. Faites fondre le beurre au bain-marie. Dans un bol, émiettez les petits-beurre, puis ajoutez le beurre fondu. Mélangez bien, puis mettez cette pâte dans un moule (à fond amovible de préférence). Tassez, à l'aide du fond d'un verre par exemple, puis réservez au frais pendant au moins 30 minutes.
3. Dans une casserole, faites fondre le chocolat, le NUTELLA® et la crème. Mélangez. Dans un saladier, battez à l'aide d'un fouet le fromage frais et les œufs. Ajoutez ensuite la crème au NUTELLA®. Versez ce mélange dans le moule préalablement beurré.
4. Enfournez pour 60 minutes. Laissez le cheesecake pendant encore 30 minutes à l'intérieur du four éteint. Réservez au frais pendant au moins 12 heures avant de servir.

Un crumble dont beaucoup raffoleront ! N'hésitez pas à varier les fruits : les bananes ou les pommes s'accordent aussi très bien avec le NUTELLA® ! Et pour rendre ce dessert encore plus gourmand, servez-le avec une boule de glace à la vanille.

Crumble aux poires et au NUTELLA®

POUR 4 À 6 PARTS • préparation : 15 MIN • cuisson : 25 MIN

6 poires • 200 g de NUTELLA® • 40 g de beurre • 30 g de cassonade • 60 g de farine • 20 g d'amandes en poudre

---

1. Préchauffez le four à 180 °C (therm. 6). Pelez les poires et coupez-les en cubes. Disposez-les dans un plat allant au four. Recouvrez-les de NUTELLA® à l'aide d'une spatule ; si vous avez du mal à étaler le NUTELLA®, placez le pot dans de l'eau chaude pendant 2 ou 3 minutes pour le rendre plus liquide et donc plus facile à étaler.

2. Coupez le beurre en petits morceaux. Dans un saladier, mélangez la cassonade, le beurre, la farine et les amandes en poudre. Travaillez tous les ingrédients du bout des doigts jusqu'à obtenir une consistance granuleuse.

3. Répartissez ce mélange sur le NUTELLA® et enfournez pour 25 minutes environ ; le crumble doit prendre une jolie couleur dorée. Servez tiède.

COMMENT JOUER
A LA DINETTE

Remplacez les noisettes par des amandes en poudre pour varier les saveurs.

Galette des rois au NUTELLA®

POUR 8 PARTS • préparation : 15 MIN • cuisson : 25 MIN

220 g de NUTELLA® • 2 œufs + 1 jaune pour la dorure • 120 g de noisettes en poudre • 2 pâtes feuilletées préétalées

1. Préchauffez le four à 220 °C (therm. 7-8). Dans un saladier, mélangez le NUTELLA®, les œufs et les noisettes en poudre.

2. Déroulez la première pâte feuilletée sur une plaque de four recouverte de papier sulfurisé. Étalez délicatement la préparation au NUTELLA® à l'aide d'une spatule. Laissez un bord de 1,5 cm afin de pouvoir ensuite souder les deux pâtes feuilletées plus facilement. Déposez une ou plusieurs fèves.

3. Déroulez la deuxième pâte et posez-la sur la première. Soudez les bords des deux pâtes en réalisant un bourrelet sur tout le pourtour de la galette.

4. À l'aide d'un pinceau, étalez le jaune d'œuf sur toute la surface de la galette, puis tracez un large quadrillage à la pointe d'un couteau fin. Enfournez pour 25 minutes.

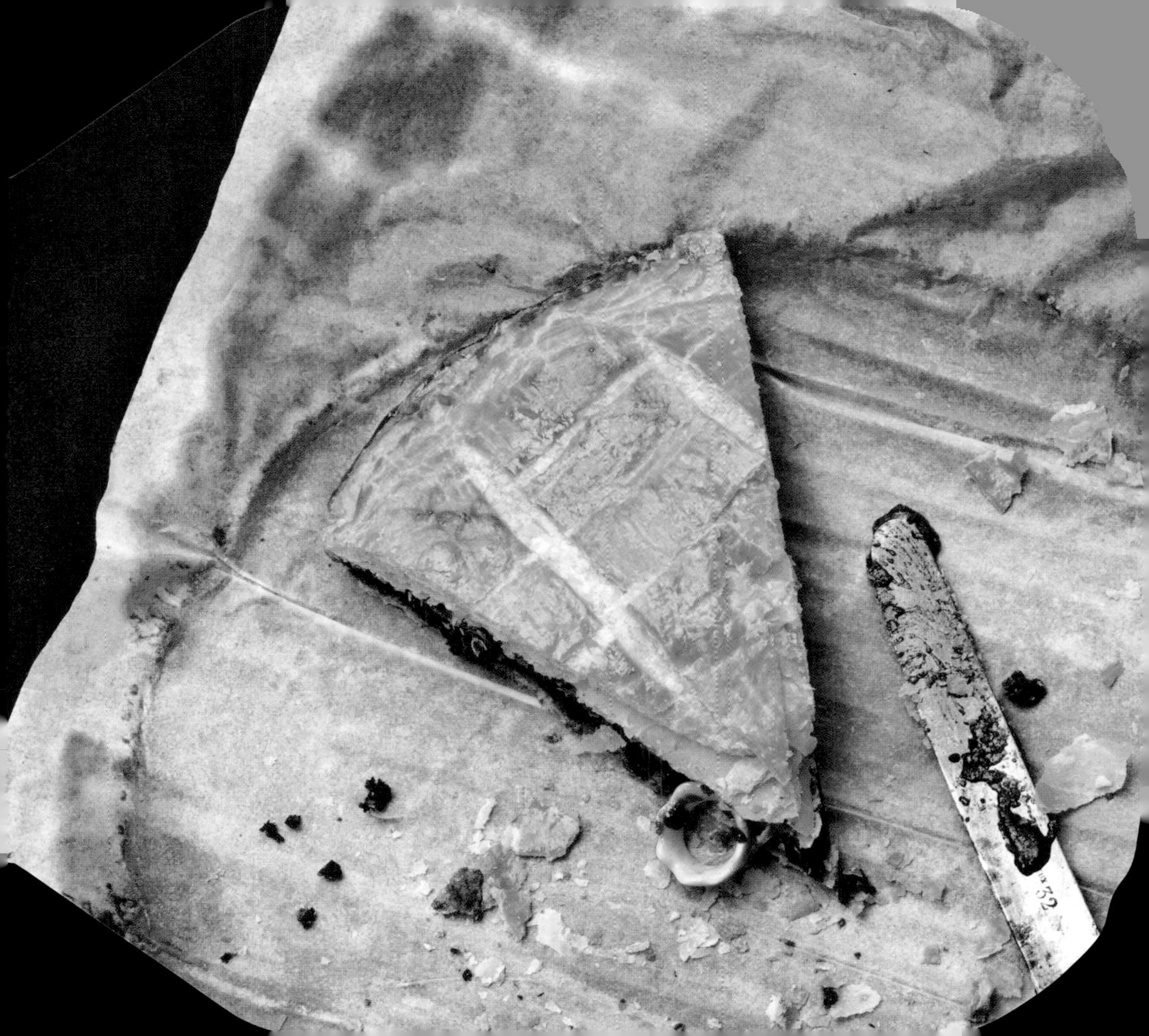

Cette bûche sera encore plus jolie décorée d'oursons guimauve collés sur les côtés.

Bûche au NUTELLA®

POUR 4 À 6 PARTS • préparation : 1 H • réfrigération : 12 H • cuisson : 15 MIN

Pour le biscuit 2 œufs • 60 g de sucre en poudre • 30 g de farine • 15 g de cacao
Pour la crème 20 cl de crème liquide • 2 g d'agar-agar • 100 g de chocolat au lait • 100 g de NUTELLA® • 8 oursons guimauve

---

1. Préchauffez le four à 180 °C (therm. 6). Battez les œufs et le sucre au batteur électrique pendant 4 ou 5 minutes. Incorporez délicatement à l'aide d'une spatule la farine et le cacao tamisé. Étalez la pâte sur une plaque de four recouverte de papier sulfurisé. Enfournez le biscuit ainsi obtenu pour 15 minutes. Laissez-le refroidir sur un torchon humide ou sur une feuille de papier sulfurisé propre.

2. Faites fondre le chocolat au lait avec le NUTELLA® au bain-marie. Dans une casserole, faites bouillir 5 cl de crème avec l'agar-agar. Ajoutez le mélange chocolaté hors du feu. Mélangez, puis laissez refroidir.

3. Fouettez la crème en chantilly bien ferme, incorporez délicatement le mélange chocolaté.

4. Chemisez une terrine ou un moule à cake avec les oursons, en les posant sur les bords, tête en bas. Versez la préparation dedans, puis déposez un rectangle de biscuit dessus de la taille de la terrine. Placez le gâteau 12 heures au réfrigérateur. Passez rapidement la terrine sous l'eau chaude, puis démoulez délicatement la bûche sur un plat. Servez bien frais.

On retrouve vraiment le goût du NUTELLA® dans ce dessert ! L'idéal est de préparer la charlotte la veille, car plus elle restera au frais, mieux elle se tiendra.

Charlotte au NUTELLA®

POUR 4 À 6 PARTS • préparation : 20 MIN • réfrigération : 12 H AU MOINS

50 cl de lait • 4 cuill. à café de cacao en poudre • 50 g de sucre en poudre • 275 g de biscuits roses de Reims ou de biscuits à la cuillère • 25 cl de crème liquide très froide • 300 g de NUTELLA®

---

1. Faites chauffer un demi-verre de lait. Dans un saladier, mélangez le cacao avec le sucre et diluez avec le lait chaud, puis ajoutez le lait restant. Trempez rapidement un à un les biscuits dans ce lait chocolaté. Tapissez-en le fond et le tour d'un moule à charlotte d'environ 12 à 15 cm de diamètre ; serrez bien les biscuits les uns contre les autres afin que la charlotte, une fois démoulée, tienne bien.
2. Versez la crème liquide dans un saladier et montez-la en chantilly bien ferme à l'aide d'un fouet. Incorporez-y délicatement le NUTELLA® en soulevant la pâte à l'aide d'une spatule.
3. Versez la crème au NUTELLA® jusqu'à mi-hauteur du moule, puis disposez à nouveau une couche de biscuits imbibés de lait chocolaté. Recouvrez du reste de crème en allant jusqu'en haut du moule. Couvrez de film alimentaire et placez la charlotte au réfrigérateur pendant au moins 12 heures.

Conseil : Vous pouvez tapisser le moule de film alimentaire pour faciliter le démoulage.

Rapides et faciles à réaliser, ces petites gourmandises se croquent en toute occasion.

Roses des sables au NUTELLA®

POUR 15 ROSES DES SABLES • préparation : 10 MIN • cuisson : 5 MIN • réfrigération : 2 H

90 g chocolat au lait • 120 g de NUTELLA® • 40 g de corn flakes

---

1. Dans une casserole, faites fondre le chocolat et le NUTELLA® à feu doux. Quand ils sont fondus, ajoutez-y les corn flakes. Mélangez délicatement.
2. Déposez des petits tas de cette préparation sur une feuille de papier sulfurisé ou dans de petites caissettes. Placez au frais pour au moins 2 heures avant de déguster.

Would you like
some coffee?
coffee
with
milk
Let's take
a break
and have a
pleasant chat!

Macarons au NUTELLA®

POUR 40 MACARONS • préparation : 40 MIN • cuisson : 15 MIN • repos : 20 MIN • réfrigération : 24 H

6 blancs d'œufs • 260 g de sucre glace • 240 g d'amandes en pou • 30 g de cacao • 200 g de sucre en poudre • 400 g de NUTELLA®

---

1. Préchauffez le four à 140 °C (therm. 4-5). Mixez le sucre glace av en poudre et le cacao afin d'obtenir une poudre très fine. Tamisez le

2. Dans un récipient, fouettez les blancs d'œufs ; lorsqu'ils devienne ajoutez la moitié du sucre en poudre et continuez à fouetter. Quand ils commencent à devenir fermes, versez le reste de sucre et battez e pour obtenir une meringue épaisse. Incorporez le mélange tamisé à l'a d'une spatule. Travaillez en gestes doux et larges au moins 2 minutes, des bords du récipient vers le centre. La pâte doit former un ruban en r

3. Recouvrez une plaque à pâtisserie de papier sulfurisé et tracez des cercl de 3,5 cm de diamètre, à intervalle régulier. Versez la pâte dans une poche d'une douille lisse et formez des boules du diamètre des cercles. Laissez reposer 20 minutes dans un endroit sec pour qu'une croûte se forme à la surface.

4. Avant d'enfourner, posez la plaque avec les macarons sur une autre plaque ; ainsi les fonds des gâteaux ne seront pas trop cuits. Enfournez pour 15 minutes, la porte du four légèrement entrouverte.

5. Laissez tiédir les macarons 5 à 10 minutes, puis retirez-les de la plaque. Quand ils sont froids, garnissez la moitié des coques de NUTELLA® et assemblez-les c les coques restantes. Conservez les macarons au réfrigérateur ures avant de les déguster, ils seront ainsi plus moelleux.

Ces tuiles au délicieux goût de NUTELLA® sont si rapides à préparer que l'on en mangerait sans fin !

Tuiles au NUTELLA®

POUR 20 TUILES • préparation : 25 MIN • cuisson : 6 À 10 MIN

50 g de noisettes • 35 g de beurre • 2 blancs d'œufs • 80 g de sucre en poudre • 30 g de farine • 100 g de NUTELLA®

---

1. Préchauffez le four à 160 °C (therm. 5-6).

2. Parsemez les noisettes sur une plaque de four recouverte de papier sulfurisé et enfournez pour 15 minutes. Placez les noisettes dans un linge propre et frottez-les les unes contre les autres pour retirez les peaux. Concassez-les en petits morceaux.

3. Dans une casserole, faites fondre le beurre à feu doux. Dans un saladier, mélangez les blancs d'œufs et le sucre. Ajoutez ensuite la farine tamisée, le NUTELLA® et le beurre fondu.

4. À l'aide d'une cuillère, déposez des petits tas de pâte sur une plaque de four recouverte de papier sulfurisé et étalez-les avec le dos de la cuillère pour former des disques. Saupoudrez-les d'éclats de noisettes. Enfournez pour 6 à 10 minutes selon l'épaisseur.

5. Déposez délicatement les disques sur un rouleau à pâtisserie ou sur une bouteille. Ils prendront la forme incurvée caractéristique de la tuile en refroidissant.

Proposez ces nems pour un goûter ou lors d'un pique-nique. Variez les plaisirs en remplaçant la mangue par de la banane ou de la poire.

Nems à la mangue et au NUTELLA®

POUR 10 NEMS • préparation : 15 MIN • cuisson : 10 MIN

5 feuilles de brick • 100 g de NUTELLA® • 1 mangue • 2 cuill. à soupe d'amandes effilées • 25 g de beurre

---

1. Pelez la mangue, détachez la chair de chaque côté du noyau et coupez-la en tout petits dés. Dans une poêle, faites griller à sec les amandes effilées. Faites fondre le beurre.

2. Préchauffez le four à 200 °C (therm. 6-7). Coupez les feuilles de brick en deux aux ciseaux, puis recoupez la partie arrondie de chaque demi-feuille sur 2 cm pour obtenir une bande plus rectangulaire. (Gardez les autres feuilles en attente sous un linge humide, car la pâte se dessèche rapidement.) Déposez quelques dés de mangue au milieu du grand côté, près du bord. Ajoutez 2 cuillerées à café de NUTELLA® et quelques amandes effilées. Commencez par rouler le nem jusqu'à la moitié de la feuille, rabattez les bords vers le milieu et finissez de rouler la feuille. Préparez ainsi les autres nems.

3. À l'aide d'un pinceau, badigeonnez les nems de beurre fondu. Disposez-les sur une plaque à pâtisserie recouverte de papier sulfurisé. Enfournez pour 10 minutes ; les nems doivent prendre une jolie couleur dorée. Dégustez-les tièdes ou froids.

On croque une truffe et, surprise, une noisette caramélisée !

Truffes au NUTELLA®

POUR 15 TRUFFES • préparation : 20 MIN • cuisson : 5 MIN • réfrigération : 30 MIN

30 g de sucre en poudre • 15 noisettes entières • 50 g de chocolat noir • 150 g de NUTELLA® • 2 cuill. à soupe de crème liquide • 30 g de pralin

---

1. Dans une casserole, faites fondre le sucre en poudre avec 2 cuillerées à soupe d'eau pour obtenir un caramel. Quand le caramel est prêt, ajoutez les noisettes et mélangez bien. Quand elles sont bien caramélisées, déposez-les sur une feuille de papier sulfurisé et laissez-les sécher.

2. Dans une casserole, faites fondre le chocolat noir coupé en morceaux avec la crème liquide et le NUTELLA®. Mélangez. Quand la pâte est bien homogène, retirez la casserole du feu et laissez-la refroidir.

3. Prélevez une noix de pâte à l'aide d'une petite cuillère. Incorporez-y une noisette caramélisée, puis, dans le creux de votre main, roulez-la pour former une petite boule. Réalisez des petites boules jusqu'à épuisement de la pâte, puis enrobez-les de pralin. Placez les truffes 30 minutes au réfrigérateur avant de déguster.

Vous pouvez parfumer la pâte des cigares avec des zestes d'orange, ce fruit se marie très bien avec le NUTELLA®.

Cigares au NUTELLA®

POUR 30 CIGARES • préparation : 15 MIN • cuisson : 8 MIN • réfrigération : 2 H

100 g de beurre ramolli • 100 g de sucre glace • 90 g de farine • 50 g de blanc d'œuf (2 ou 3)• 150 g de NUTELLA®

---

1. Dans un bol, mélangez vivement le beurre avec le sucre glace à l'aide d'une spatule pendant 2 minutes. Ajoutez la farine, mélangez, puis incorporez les blancs d'œufs, un à un, jusqu'à l'obtention d'une pâte lisse. Laissez la pâte reposer 2 heures au frais.

2. Préchauffez le four à 200 °C (therm. 6-7). À l'aide d'une grande cuillère, déposez des petites quantités de pâte sur une plaque de four recouverte de papier sulfurisé, puis étalez-les légèrement pour obtenir des ronds de 6 cm de diamètre environ. Enfournez pour 8 minutes. Sortez-les, laissez-les juste tiédir, puis décollez-les délicatement du papier sulfurisé et roulez-les aussitôt avec les mains. Laissez-les durcir.

3. Faites fondre le NUTELLA® au bain-marie. Trempez la moitié de chaque cigare dans le NUTELLA® et déposez-les sur un plat. Placez les cigares quelques minutes au frais jusqu'à ce que le NUTELLA® ait durci, puis sortez-les assez rapidement.

Vous pouvez remplacer le riz soufflé par des corn flakes ou du muesli croustillant.

Palets de riz soufflé au NUTELLA® et au chocolat blanc

POUR 25 PALETS • préparation : 30 MIN • cuisson : 5 MIN • réfrigération : 2 H

100 g de NUTELLA® • 80 g de chocolat blanc • 190 g de riz soufflé

1. Faites fondre le NUTELLA® et le chocolat blanc au bain-marie dans des récipients différents.

2. Écrasez grossièrement le riz soufflé à la main. Répartissez-le également dans le NUTELLA® et le chocolat blanc fondus. Laissez refroidir.

3. Étalez les préparations au NUTELLA® et au chocolat blanc sur une plaque recouverte de papier sulfurisé et, à l'aide d'un emporte-pièce de 3 cm de diamètre, formez des palets.

4. Placez les palets 2 heures au réfrigérateur pour les faire durcir. Décollez-les délicatement et conservez-les dans une boîte hermétique.

Ces brownies en forme d'œufs réjouiront les enfants !

Œuf-brownie fourré de NUTELLA®

POUR 4 ŒUFS • préparation : 30 MIN • cuisson : 40 MIN

250 g de chocolat au lait • 6 œufs • 250 g de sucre en poudre • 15 g de sucre vanillé • 75 g de farine • 125 g d'amandes en poudre • 1 gousse de vanille • 140 g de beurre ramolli • 150 g de NUTELLA®

---

1. Préchauffez le four à 150 °C (therm. 5). Hachez le chocolat au couteau et faites-le fondre au bain-marie.

2. Mélangez les œufs avec les deux sucres sans trop les travailler, ajoutez la farine et les amandes en poudre. Fendez la gousse de vanille en deux et grattez les graines au-dessus de la pâte.
3. Incorporez le beurre au chocolat fondu et mélangez le tout à la préparation précédente.
4. Beurrez 8 moules en silicone en forme de demi-œufs de 10 à 12 cm de longueur et versez-y la pâte sans les remplir jusqu'au bord. Enfournez pour 40 minutes.
5. Démoulez délicatement les demi-œufs et laissez-les refroidir sur une grille. Égalisez les bords avec un couteau et tartinez la partie plate de 4 demi-œufs avec le NUTELLA®. Assemblez avec les 4 demi-œufs restants pour former des œufs entiers.

TABLE DES ÉQUIVALENCES FRANCE-CANADA

POIDS

55 g	2 onces	200 g	7 onces	500 g	17 onces
100 g	3 onces	250 g	9 onces	750 g	26 onces
150 g	5 onces	300 g	10 onces	1 kg	35 onces

Ces équivalences permettent de calculer le poids à quelques grammes près (en réalité, 1 once = 28 g).

CAPACITÉS

25 cl	1 tasse	75 cl	3 tasses
50 cl	2 tasses	1 l	4 tasses

Pour faciliter la mesure des capacités, une tasse équivaut ici à 25 cl (en réalité, 1 tasse = 8 onces = 23 cl).

Direction de la publication : Isabelle Jeuge-Maynart et Ghislaine Stora
Direction éditoriale : Delphine Blétry
Édition : Johana Amsilli

Direction artistique : Emmanuel Chaspoul
Mise en page : Anna Bardon
Couverture : Véronique Laporte

ISBN 978-2-03-587765-9

Imprimé en Chine par Starlite Development Ltd
Dépôt légal : septembre 2011 – 307829/05 – 11026768 – janvier 2014